别让伤害靠近你

教孩子辨别、远离隐性伤害

不！我不喜欢被戏弄

遇到情感霸凌怎么办？

[美] 梅丽莎·希金斯　著　[美] 西蒙娜·希恩　绘　杨惠　译

中信出版集团 | 北京

写在前面的话

霸凌是很多儿童都曾经历的严重问题。情感霸凌包括当众奚落、羞辱、排挤和一再恶意地取笑别人。霸凌会令人感到沮丧或羞耻，也会影响孩子的自尊和学习。要制止霸凌，儿童和成人都需要认清什么是霸凌行为，并及时合理地去应对。

本书既适合孩子自己阅读，也适合家长读给孩子听。阅读本书时，问问孩子是否曾目睹、遭遇或实施过情感霸凌，并鼓励孩子谈论自己的经历，进而以本书内容为引子，去交流和解决问题。比如问问孩子：对于亚历克斯给凯利提的建议，你认为怎么样？要是你挨欺负了，你愿意找谁诉说？对于惯用情感霸凌的人，你还有什么好办法？

天真冷啊，等车的我不禁裹紧了外套。
有人在我后面哧哧笑，接着是一阵窃窃私语。
我的心顿时悬起来了，真希望校车快点儿到。

“呃……好恶心，难道昨晚有只老鼠在凯利头上睡觉了吗？”

不用回头看，我就知道谁在说我。

是山姆，每次都是他。

山姆的朋友杰西哈哈笑起来：“凯利的妈妈太穷了，连梳子都不能给他买，真可怜。”

这时什么东西划过我手腕，我低头一看，是把脏兮兮的塑料梳子，八成是他们从臭水沟里捡来的。

“拿着，”山姆说，“我家多的是。”

我摇摇头。真希望他们能离我远点儿。

有时候，开玩笑可能是种乐趣，只是闹着玩，但那种让人生气的取笑，就是情感霸凌了。情感霸凌包括奚落、羞辱、传谣和合伙攻击别人。

“快点儿，拿着！”山姆把脏梳子塞进我口袋里。

周围人都看着我，我不知所措。

“你可以谢谢我。”山姆说。

“穷人都没教养，”杰西说，“长得也丑。”

我感觉自己像只虫子，一只渺小的、讨人厌的虫子。

校车来了，我往前挪了挪。

门一开，山姆和杰西就抢着上去，把我挤到一边。

“靓仔优先，丑人靠后！”杰西大声说。

我在他们后面上车。他们直奔后排座位，而仅剩的空座也都在那片儿。我深吸一口气，坐到了艾琳旁边。艾琳却往里挪了挪，紧挨着车窗。

好像我有病，谁都怕被传染似的。

好在谁也没再说什么了，我松了口气，现在应该没事儿了吧。

突然，山姆大叫道：“谁是咱学校的第一丑啊？”

大约1/3的儿童都曾在学生时代经历过霸凌。

杰西唱了起来：“丑鬼——凯利！”
又有几个小孩跟着唱：“丑鬼——凯利！”
我的脸噌地烧起来了，我恨不得找个地缝儿钻进去！
总算到学校了，我飞一样地下了车。

有人跟过来了。天哪，还要怎么样？

“凯利！”

我扭头一看，是亚历克斯，我的同班同学。

“嗨，”亚历克斯说，“我就是想说，他们那样做是不对的，那样很刻薄。还有，你并不难看，别听他们的。”

原来还是有人在意我的！我忍住眼泪说了声“谢谢”。

“你和谁谈过这些事吗？”亚历克斯问，“比如你爸妈或者韦斯特先生？”

韦斯特先生是我们的老师。我摇摇头。山姆和杰西在学校里很受欢迎，而且我实在羞于告诉别人他们说我的那些话。

亚历克斯说：“嗯，这只是个建议，我相信只要你说出来，大人是可以帮到你的。”

亚历克斯对我笑了笑。

帮助被霸凌的人，一种简单的办法就是：让他们感觉自己融入了集体。比如，在走廊里跟他们打招呼，或者与他们共进午餐。

亚历克斯似乎能理解我的处境。整整一天，我都想着他说的话。没错，山姆和杰西就是很刻薄。而且，我并不丑。他们做得就是不对。

课间休息时，我在走廊里碰到了校长米尔斯女士。我喜欢米尔斯女士，她对每个孩子都很友善。

“嗨，凯利，”她说，“你还好吗？”

我在她面前停了下来。

她问我：“凯利，是有什么问题吗？”

我点点头：“我能跟您聊一聊吗？”

米尔斯女士把我领到办公室。“告诉我你有什么烦恼？”

我对她说有些孩子对我很刻薄，尤其是在校车上。

“他们对你做了什么？”她问。

我觉得难以启齿，但还是说了。我希望她能相信我。

“很抱歉凯利，我不知道发生了这样的事，”她说，“我很高兴你告诉我了。他们那么做就是欺负人，我们学校不允许孩子们欺负人，即便在校车上也不行。”米尔斯女士还说，她会跟山姆、杰西和校车司机谈一谈。

我听了顿时心里咯噔一下。“他们会认为我告他们状的，”我说，“那样恐怕只会让事情变得更糟。”

“相信我吧，”米尔斯女士说着，露出令人安心的笑容，“还有，你在校车上有能做伴的朋友吗？”

“没有，”我回答，不过我又想到了亚历克斯，“噢，或许有。”

放学后，我看到亚历克斯正往校车走去，赶紧跑过去跟上他。

“我和米尔斯女士说了。”我说。

“太棒了！”亚历克斯说，“好受点儿了吧？”

我想了想，发现的确好受多了，好像肩上的重担一下子减轻了。

有朋友的孩子和没有朋友的孩子相比，更不容易受到欺负。

我们上了车。山姆和杰西的笑声从后座传来。

“亚历克斯？”我问，“我可以和你坐在一起吗？”

“可以啊，只要你不介意坐前排。”亚历克斯说，“以前呢，我老是被嘲笑，后来我发现，挨着司机坐就会好一些。”

我和亚历克斯一路畅聊。我和他讲我的小仓鼠格斯。亚历克斯说他常去动物收容所帮忙遛狗，听起来很有意思。“哪天有空你可以和我一起去，”亚历克斯说，“他们长期需要志愿者。”

参加一些校外的有趣活动，比如发展一项运动、加入社团或做义工，都是交友和提高自信心的好办法。

下车时，我脑子里有了一个想法。

“亚历克斯，”我问，“明天早上，你还愿意和我坐在一起吗？”

“当然啦！”亚历克斯一边向我挥手一边说，“明早见！”

“太好了！明早见！”我也挥挥手说。

即便刚才山姆和杰西说了我什么，我也没听见，而且我不在乎。今天，我交到了一个好朋友。

关于情感霸凌你必须知道的事

• 有时候，开玩笑可能是种乐趣，只是闹着玩，但那种让人生气的取笑，就是情感霸凌了。情感霸凌包括奚落、羞辱、传谣和合伙攻击别人。

• 大约 1/3 的儿童都曾在学生时代经历过霸凌。

• 帮助被霸凌的人，一种简单的办法就是：让他们感觉自己融入了集体。比如，在走廊里跟他打招呼，或者与他们共进午餐。

• 有朋友的孩子和没有朋友的孩子相比，更不容易受到欺负。

• 参加一些校外的有趣活动，比如发展一项运动、加入社团或做义工，都是交友和提高自信心的好办法。

亲爱的小朋友，如果你读完这本书，怀疑或者发现自己遇到了情感霸凌，一定要及时告诉爸爸妈妈。爸爸妈妈是最爱你的人，他们会全力帮助你，做你最温暖的港湾和最坚强的后盾。

图书在版编目（CIP）数据

不！我不喜欢被戏弄：遇到情感霸凌怎么办？/（美）梅丽莎·希金斯著；（美）西蒙娜·希恩绘；杨惠译. -- 北京：中信出版社，2018.8（2024.4 重印）
（别让伤害靠近你：教孩子辨别、远离隐性伤害）
书名原文：Teasing Isn't Funny: What to Do About Emotional Bullying
ISBN 978-7-5086-8570-0

Ⅰ. ①不… Ⅱ. ①梅… ②西… ③杨… Ⅲ. ①儿童故事－图画故事－美国－现代 Ⅳ. ① I712.85

中国版本图书馆 CIP 数据核字（2018）第 C21019 号

不！我不喜欢被戏弄：遇到情感霸凌怎么办？
（别让伤害靠近你：教孩子辨别、远离隐性伤害）

著　　者：[美]梅丽莎·希金斯
绘　　者：[美]西蒙娜·希恩
译　　者：杨　惠
出版发行：中信出版集团股份有限公司
（北京市朝阳区东三环北路27号嘉铭中心　邮编　100020）
承 印 者：当纳利（广东）印务有限公司

开　　本：500mm × 965mm　1/16　　印　　张：2　　字　　数：30千字
版　　次：2018年8月第1版　　印　　次：2024年4月第19次印刷
京权图字：01-2016-3282
书　　号：ISBN 978-7-5086-8570-0
定　　价：35.00元

出　　品：中信儿童书店
图书策划：小飞马童书
策划编辑：白雪
责任编辑：温慧
营　　销：中信童书营销中心
封面设计：韩莹莹　谢佳静
内文排版：李艳芝

服务热线：400-600-8099
投稿邮箱：author@citicpub.com